KB164397

創批詩選 48

도 종 환 시 집

고두미 마을에서

창비

차   례

제 1 부

제 2 부

제 3 부

제 1 부

고두미 마을에서

丹齋 申采浩 先生 사당을 다녀오며

이 땅의 삼월 고두미 마을에 눈이 내린다.
오동나무함에 들려 국경선을 넘어오던
한줌의 유골 같은 푸스스한 눈발이
동력골을 넘어 이곳에 내려온다.
꽃뫼마을 고령 신씨도 이제는 아니 오고
금초하던 사당지기 귀래리 나뭇군
고무신 자국 한 줄 눈발에 지워진다.
복숭나무 가지 끝 봄물에 탄다는
삼월이라 초하루 이 땅에 돌아와도
영당각 문풍질 찢고 드는 바람소리
발 굵은 돗자리 위를 서성이다 돌아가고
울리하 냇가에 봄이 오면 꽃 피어
비바람 불면 상에 누워 옛이야기 같이 하고
서가에는 책이 쌓여 가난 걱정 없었는데*
뉘 알았으랴 쪽발이 발에 채이기 싫어
내 자란 집 구들장 밑 오그려 누워 지냈더니
오십 년 지난 물소리 비켜 돌아갈 줄을.

눈녹이물에 뿌리 적신 진달래 창꽃들이
앞산에 붉게 돋아 이 나라 내려볼 때
이 땅에 누가 남아 내 살 네 살 썩 비어
고우나고운 핏덩어릴 줄줄줄 흘리련가.
이 땅의 삼월 고두미 마을에 눈은 내리는데.

* 12~14행은 丹齋 先生의 漢詩 「家兄忌日」에서 인용.

울타리꽃*

아들아, 나 죽어 이 집의 울타리가 되리라.
칼 뽑아 네 어미 아름다움 버혀 가려던
눈먼 무리 앞에 무릎 꿇을 순 결코 없어
황망한 칼빛 아래 내가 죽거든
아들아, 억새풀 엉경퀴 새 돌 눌러 날 묻지 말고
우리집 마당 가운데 나직하게 묻어다오.
혹 떨어져 나간 내 뼈 있거든
밤마다 숫돌에 갈고 갈아 화살촉 만들고
흩어져 날리는 머리칼 있거들랑
빠짐없이 추려 모아 화살줄 매어다오.
앞 못 보는 너희 아빌 핍박하러 오는 무리
날만 새면 사립문 앞에 눈 치뜨고 모이리니
내 어이 죽어선들 한적한 산그늘이나 떠돌며 다니리
아들아, 이 어민 속 붉은 꽃으로 꼭 다시 피어난다.
나 죽어도 내 집의 울타리꽃으로 피어난다.

* 번리화, 목근, 목노 등의 이름을 가진 꽃. 무궁화를 일컬음.

장 자 늪

노루목에 애기똥풀 노랗게 피어 있고
찔레 가시 버선목을 찢으며 감는데
어떻게 저 혼자 산 넘을 수 있겠어요.
쇠똥도 뜻이라면 쌀이라 믿고 싶다던 큰스님
흰 쌀을 흰 쌀이라 말씀드린 게 전부인데
어찌 제 목숨만 건지시려 하신지요.
我養山 아침 햇살 골안개 걷으며 솟아올라
비녀 끝 때리며 치내리는 마른번개
화급한 사람 등을 치고 궁한 사람 목을 죈 죄
하늘의 소리로 다스리며 청기와 지붕 흔드는데
한번의 돌아봄으로 선돌이 된다 해도
신음과 외침 고개 돌린 적 없었던 저이온데
저 혼자 어찌 죄의 늪 헤어나려 하겠어요.
보시어요, 격랑 속에 감자꽃같이 뜬 얼굴들
한번의 돌아봄으로 선 채로 돌이 된다 해도
어떻게 산마루를 넘어갈 수 있겠어요.

진눈깨비

누이동생이 죽은 아기를 낳던 날 밤
진눈깨비가 내렸다.
영농기계대금이 밀려 보건소 언저리도 못 가보고
먹는 것이 부실하여 성한 몸뚱이로 크지도 못한
손바닥만한 목숨을 얼어가는 풀뿌리 밑에 묻고
씻기지 않는 새벽 노을을 손에 묻힌 채
처가집 더부살이 더욱 기 꺾인 매제는
도시락도 없이 재건조장 일을 나갔다.
앞브레이크 끊어진 녹 낀 자전거
바퀴를 말없이 굴리며 방고개를 넘어갔다.
아버지는 부러 얼어터진 연탄 보일러 얘기만 꺼내고
어머니는 연신 머릿수건을 고쳐 쓰고 계셨다.
비도 되고 눈도 되며 내리는 것들을
바람은 자꾸 얼리며 오고
언 땅 깊은 곳의 어둠을 퍼올리던 삽 한 자루
흙냄새를 바람에 씻으며 기대 서 있었다.

위대한 귀국

베니그노 아키노를 위하여

겨드랑이 날개 달린 아기장수 태어나면
나라에 반역질 할 위인이 된다 하여
지레 겁에 날개 찢어 白馬將軍神, 龍馬將軍神
맥을 끊는 전설이 당신네들도 있는지요.

아키노여, 필리핀이여 당신네들도
말깨나 하는 놈 가막소 가고
일깨나 하는 놈 공동산 간다는
식민지 시절 백성의 아리랑 타령 있는지요.
당신네 나라에도 신에 대한 신념이니
자유 정의 노래 부르다 재판소로 끌려가고
공동산에 묻히는 일 비일비재한 걸 보면
당신 나라 사람 중엔 우리나라 옛 어른들
權不十年 이런 말을 아는 이가 있나 보오.

처서가 머지 않은 우리나라 대추나무엔
독 없이도 푸르게 솟는 대추나무 가시 있어

곪은 곳 터뜨리고 피고름 딸 때 제격이어
모질고 옹골지고 대쪽 같은 사람들을
대추나무 방망이라 일컬어 오는데
당당히 쓰러져준 당신의 목덜미에서
찢어질 듯 쏟아지는 대추알이 보이는구료.

아키노여, 필리핀이여 당신 나라 백성들은
삼백여 년 죽창으로 침략자와 싸워 왔고
붉디붉은 마닐라삼 땀 비벼 꼬아내어
온 세상 제일 질긴 밧줄로 엮어 왔는데
빛나던 시절의 양심은 어디 가고
깃발과 영욕 아래 폭력을 정당화한
때 묻은 칼빛만 이 섬 저 섬 번쩍이오.

오늘 이 나라엔 등화관제훈련이라
불빛을 외면하고 더욱 깊이 어두운 밤
계엄령이 짙게 깔린 마닐라를 생각하며

예리하게 금을 긋는 빗소리를 듣는데
이 어둠이 걷히면서 빛과 어둠 어느 하나
굵은 선을 그어가리란 날카로운 예감들을
발조차 다 못 디딘 고국땅에 엎드리어
들으리라 믿었던 건 아니었나 싶으오.
아아, 아키노여 필리핀이여

구월 초하루에

잊지 말아야 한다, 내가 녹색 칠판에
새기고 있는 이 아라비아 숫자의 색인을.
어찌하여 폭력이 용서받을 수 없는가를
힘을 과시하는 자들의 언어가 얼마나 속된가를
아름다운 코리아의 초가을 밤과 하늘은
왜 추상명사에 불과한가를
구월 그 초하루의 밤에 우리는 보았었다.
해방되던 해 구월의 무수한 포고령 1호가
이국인의 이름으로 떨어지기 시작할 때
힘은 곧 정의가 아님을 우리가 보았듯이
관동대진재가 휩쓸고 간 도오꾜오의 오시마쬬 육정목에
무수히 쌓이던 죠센징의 모가지를
아시아의 구월은 알고 있을 것이다.
사람이 사람의 가장 무서운 칼이 되는 것을
죽은 제 어미의 뱃속에서도 죽창에 어깨끝을 찔리우고
닙본도로 이마를 그이우며 꺼내어진 사생아의 손가락을
우리는 지진처럼 떨리는 눈으로 보고 있었다.

14

구월의 하늘은 아름다워서 높은 게 아님을
와카나이 해변에 밀려오는 찢어진 살덩이들에서
우리는 보았었다.
내가 희고 큰 글씨로 새기고 있는
이 몇 개의 구월 초하루를, 폭력의 가을을.

찔레나무

뺨에 붙은 햇살도 참말 따스한 오월이었어요.
백주의 호호한 거리를 무섭게 달려오는 재구름
뇌성소리, 굽이치는 물소리에 사람들은 쓸려내리고
끈 하나 던져 무너지는 길둑에서 손 끌어주다
하나뿐인 제 모가지도 달랑 던져
제 놈도 함께 죽은 열다섯 까까머리 있었어요.
노랑단추 흰 이름표 깜장색 교복을
마당 가운데 꺼치불에 태우며 태우며
얼마쯤 불연기 끝 뒤따라가던
제 엄니 울음 총성처럼 땅에 묻히고
소원대로 연기는 하늘에 올라
영영 여장을 풀 수도 있으련마는
혹 초여름 잦았던 빗발덩이에
묻어 묻어 씻겨내려 찔레뿌리 속
어디엔가 섞여든 건 아니었는지
애장터 들러 부끄럼 몰래 되나오는 길
풀뿌리 그득 깨문 달빛 아래 넘어지니

찔레나무 가시 한 줄 팔뚝을 감으며
자분자분 핏속으로 스미는 걸 보네요.

이 나라 흰옷

써레질이나 할 때 입을 옷이 아니다.
천근같이 빠지는 다리를 떼며
더디더디 소나 몰 때 입으란 옷이 아니다.
물꼬 보러 가는 길 정강마루 거슬러 고의춤까지
헐렁한 바람 스스로운 이 옷을 버리지 않고
누대 천년 입어 입어 내려온 것은
돌아가야 할 곳이 있기 때문이다.
눈녹이물에 마른 목 축이며
내리붓는 대륙의 칼바람 마시며
풀뿌리가 풀뿌리끼리 엉켜 안고
지맥 깊은 오만 리를 뻗어가는 곳
흰 눈이 턱 낮은 분지 위 꺼지도록 덮어야
풀들이 웃자라고 순은의 가축떼 말없이 살찌는
넓은 바람 끝에서 눈부신 하늘을 경배하며
검은 머리도 흰 수건으로 가리워 쓰고
우리 할매들 싸락눈빛 백설기 시루 가득 쪄놓고
손 모두어 하늘에 빌던 곳

반드시 돌아가야 할 그곳이 있기 때문이다.

소정방이 끌어들여 백제민 몰아내고

거북비 세우던 통일 따윈 말도 꺼내지 말거라.

小嶽, 천문령에 깃발 높이 달던 대조영 장군

동모산으로 동간도로 말 몰아 달릴 때

흰옷 입은 발해 백성 산맥을 하얗게 덮으며 오고

말갈족도 달려와 무릎 꿇고 글 배웠니라.

죽기 전에 그 호호한 풀밭에 못 가더라도

엉덩이 두 쪽 푸른 반점 손주놈 태어나면

흰 바지 저고리 앙징스레 해 입혔다

그놈 튼튼한 사내 되어 뜻 품을 나이 되면

속옷 속에 배냇저고리 채워주며 두고두고 **일러주거라**

이 옷은 유목민의 옷이었다고.

종   점

종점에서 버스를 내려 걸어오다
――이제야 갚으리 그날의 원수를
골목을 채운 아이들 육이오 노랠 듣는다.
구름은 북으로 기울고 새들은 낮게 나는데
우리 누이들 단발머리 풀풀 고무줄 할 때
양지쪽에 기계충독 오른 머릴 쪼이며
――원수에 하나까지 쳐서 무찔러
쪼그려 앉아 따라 부르던 노래
지금은 도깨비 시장 리어카 끄는 서상사 아저씨
짧은 여름밤은 전쟁 애기로 흥겨웁고
멋진 군인이 되고파 주먹을 쥐게 하더니
아직도 유월이면 이 증오의 노랫소리 들리고
장마전선은 내일도 걷히지 않으리라 한다.
그땐 어찌하여 말해주지 않았을까.
일방적인 증오가 애국심이 아니라는 것쯤
폭력의 언어와 내용없는 적개심만으로
글짓기 대회 그리기 대회의 상들을 타게 하고

그것은 통일의 방법도 뭣도 못된다는 것쯤
왜 아무도 말해주지 않았을까.
전쟁은 신나는 일도 스릴과 써스펜스도
아니라는 것쯤 왜 가르치지 못했던 것일까.
어둠은 쉬이 오고 곤청색 산들을 끌며
비구름은 지평선을 넘는데
벽돌담 아래에 아이들은 모여든다.

분   꽃

전사통보 받아 든 언청이 정례 누나
신들린 듯 아리랑 고개 치달려갈 때
검정치마 끝에 걸려 떨어진 분꽃씨 하나
절터 뒷산 무덤 가엔 소나무 그림자 큰데
깨밭길에 앉아서 맞잡던 손목은
월남땅에 내리어 텔레비젼 박스가 못된 채
탄알 꽂히어 새끼손부터 썩어 돌아오고
눈물 웃음 옥생각에 무명끈 한 발
대들보에 매다 들킨 열아홉 정례 누나
날 저물면 목 늘이며 귀를 열며 분꽃은 피어나고
분꽃잎 빛 청치마 분꽃빛 저고리 새로 해 입혀
열몇 살도 더 많은 홀아비 짝지어 보낼 때
꽃밭 가 검정씨 몇 개 함께 따라갔었지.
지금도 조석으론 분꽃이 피고
날 저물면 리어카에 풀빵기계 얹고 나와
연초제조창 오거리 가스등 아래서
누나가 구워주는 풀빵을 섭으면

남모르게 분꽃씨 몇 알 어금니에 씹히는데
치맛귀의 조카놈 우렁우렁 벙긋벙긋 잘도 크는데

훈련소와 장미

논산훈련소 훈련병 시절이었다.
조교들이 자랑하는 서른여섯 종류의 기합을
일과처럼 견디며 지낼 때였다.
선생 노릇 수삼 년 하다 왔다면서
식기통이나 내무반 침상 반짝반짝 못 닦아놓는
네까짓 게 무슨 선임분대장이냐는
훈계 말씀도 견디며 지낼 때였다.
아카시아 뿌리에 경기관총 탄알을 박으며
생각했다. 나도 내 새끼에게
장난감 총과 탱크를 사주는 애비가 될 것인가.
제대를 하면 자랑스럽게 전쟁 얘기를 하고
일방적 승리로 결정짓는 병정놀이 보기 위해
아이들 손목 잡고 영화관이나 찾을 것인가.
각개전투장에서 동료들에 들리어 오던 밤
집동만큼 부은 발목에 CP주사를 꽂으며
견디는 것만이 최고냐 미련한 놈아
의무장교 하던 욕을 잊을 수 없었다.

방충망 너머론 유월 논산훈련소

도도한 장미와 칸나

막사 주위엔 늘푸른 나무들이 뿌리를 내리고 있었다.

견디다 견디다 훈련화를 받아들일 수 없게

부어버린 발목으로 장미잎이 떨어지며

감겨오기도 했다.

三　代

1. 벼를 세우며

봇도랑 넘던 물이 새터말을 흔들던
아침마다 벼들은 무참히 쓰러졌어요.
장마비에 강아지풀 방동사니풀 무릎을 넘고
논두렁 콩꽃들도 진저리를 쳤어요.
흙빛 얼굴 검버섯 꿀벌빛 어금니로
죽도록 이 알갱이 섞어보리라 하시며
패배의 기색을 보이지 않던 할아버지
돌아오는 건 공출량과 大豆粕 깻묵더미
송피떡 쑥떡은커녕 밀기울이 고작인데
식민지땅 소작인으로 앗기우며 지닐지라도
살던 땅 버려선 안된다 믿으셨다지요.
거꾸러진 놈들은 거꾸러진 놈들끼리
기대 선 놈들은 기대 선 놈들끼리
억울함끼리 어깨끼리 묶어 세우다
쓰러져서도 날을 세운 볏잎 끝에 스쳐 베어

26

스며오는 사랑스런 독을 보며 견디셨다지요.
허기처럼 번져오는 독을 보며 견디셨다지요.

2. 남양군도

큰아버지 당신께서 지게를 벗기우고
황군필승, 무운장구 어깨띠를 둘리운 채
새비롱 고개 넘어 남양으로 떠나실 때
정말로 할머니가 미워서라 하셨나요.
땅도 잃고 칼도 없고 도망질도 못할 몸
면서기만 나타나도 지레 질리는 온 식구
미운 것은 부대낌과 굶주림이라 안하시고
정말 할머니 눈총이 미워서라 하셨을까요.
어째서 배웠다는 이 땅의 상고머리 똑똑한 놈들이
멸사봉공 강청하며 장정들 입을 막아
남양군도로 내모는지 당신도 아셨잖아요.
반도의 이십 만 시퍼런 청년들이

징병령 학도병령 앞에 오라를 지워
환송입영열차 속에 차곡차곡 채워져도
무의미한 눈물로만 손 흔들고 서 있는
먼발치로 물러선 역사를 아시잖아요.
나우르나 트럭섬 괌이나 사이판 같은
적도 밑 야자수 숲속에서 포세례 속에서
수비대의 큰아버지 마지막 보신 것은
겁없이 아름다운 저녁 노을과 갈증
오동리 하늘보다 짙푸른 태평양과 쌀방개
논고랑의 개구리밥과 미군기의 퍼레이드
할복자살 피비린내와 만세돌격 자살돌격
못다 키운 염소 새끼, 나어린 아내를 두고
어째서 초근목피 하나 없는 이국의 기아전선에서
폭풍에 갈가리 찢겨져야 하는지
큰아버지, 말 안하시지만 알고 계셨잖아요

3. 톱 질

톱질 톱질 말도 마라.
오근장역 가마니 창고 북일면 장정 다 끌려와
빨갱이로 몰리어 떼죽음을 하곤 했지.
연맹 연맹 무슨 연맹 알고 든 놈 뉘 있으며
무슨 단 무슨 회 들고자 든 놈 뉘 있겠냐.
청년단 손에 톱질이요 인민군 손에 톱질이요
후퇴하며 톱질이요 밀고 가며 톱질이라.
동부꽃도 몽오리지고 콩깍지도 여물어가는데
후퇴하던 국군 총에 요행히 살아 남으니
의용군이 웬말이냐 장총걸이가 웬말이냐.
청산들을 지나갈 땐 주먹 같은 감들이
집집마다 지붕을 누르고 열렸는데
폭격 맞은 전차바퀴 아랜 허리 꺾인 삑삑이풀
총 맞은 인민군 신음처럼 흔들거리는데
폭격이 아니었던들 도망질 어찌 했겠니

아흐레 낮밤을 산등성이로 등성이로
오소리굴 밑에 잠도 자고 더덕도 캐어 먹고
오동리에 돌아오니 부랄 찬 놈 씨 마르네
아주까리, 해바라기씨 통통히 기름 들어가는데
밀려가며 톱질이요 올라치며 톱질이요
살아 남은 팔뚝 위에 방위군 친구 날 찾아와
완장을 채워주데 감찰 완장 채워주데
벼 끝은 노릇노릇 메뚜기를 날리는데

4. 산병호

삼월이었지, 네 에밀 두고 입대한 것이.
부산 보충대서 보초를 서며 소금바람 마시다
그렇지, 그게 카투사 1기였단다.
미 제25사단 14연대 2대대 E중대
혹 몰라 남양군도나 오끼나와를 거쳐
네 큰아버지와도 싸운 그 군대였는지 몰라

미군부대 배속된 벙어리 한국군이 돼

참호나 파고 포탄이나 나르고

그들은 먼발치에 서서 껌을 씹으며

포탄을 날리고 있었어.

씨레이션 먹는 법이나 사과 씹는 법을 배우며

참말이지 한없이 부끄러웠니라.

망초 대궁만 끝없이 널린 춘천 시가를 지나며

중동부전선 아마 백마고지 언저리쯤

포탄을 날리는 곳말고 포탄이 떨어지는 곳에 서서

산병호를 파며

야전삽 끝에 찍혀 나오는 백골을 뽑아내며

애빈 구체적인 적에 대해 생각했지.

지금은 살아 남아 양복점을 차린

명동텔러 그 아저씨 포 맞아 터진 창자

한 손으로 구겨 넣으며 에이알 소총을 끌고 오며

너무도 가까이 살을 맞댄

똑같은 황인종의 얼굴을 한 적에 대해 생각했지.

뒤숭숭한 소문은 임진강 따라 흘러내리고
애빈 밤마다 척후조장이 되어
칼빈 M_2를 들고 적을 찾아 다녔다.
그 깜깜한 참나무숲 어디선가
안전장치를 풀도록 명령을 내리고 있는
크고 확실한 적을 찾아 다녔다.

5. 면 회

네 할아버지 나를 찾아 제주훈련소 오실 때
유채꽃도 다 지고 귤냄새 짙은 때였던가
송아지 팔아 인절미 빚고 닭 삶아 보에 싸서
몇십 일 허리춤에 꼬옥 끼고 오신 때가.
옥쳐맨 보따리 송곳니 물어 끄르니
푸르게 썩은 인절미와 쉬어버린 닭고기
할아버진 할머니께 암 말씀도 못하셨지
그처럼 우리 목숨 쉬 썩지나 말아야지.

이제 내가 닭 한 마리 싸들고
군복 입은 네 면회를 오고
네 가슴 계급장과 깍이운 머리 보노라니
나도 네 할아버지처럼 할 말이 없구나.
막사 주위엔 시절도 없이 백일홍 천일홍
난초꽃도 피고 애완용 개도 놀고
배곯지는 않는다니 우선 그게 반갑구나.

6. 고해성사

1977년이던가 백목련 이파리가
바람도 없이 툭툭 지던 사월
합동의원총회를 끝내고 크고 기름진 미소로
인사하는 유정회 의원의 사진을 보았지.
그 사월엔 부당해고를 당해 기숙사 기둥 붙들고
울부짖는 버스 안내양들 울음소리
점자처럼 찍혀 소롯이 솟아오르기도 하고

여름엔 목마름으로 갈라지는 거북등 논바닥 위
생이가래 몇 잎 납작이 붙어 있을 때
형은 다만 지독한 노을에 취해
산탄총 소리에 솟구친 비두로기처럼
깊은 바람 속에 떠 있었지.
팔월이던가 미류나무 가지치기를 하다
도끼날에 찍혀 죽고 다시 그 나무등치를 베어
도끼자루를 만들던 여름도
가슴 속 다만 서너 그루 장미만을 키웠지.
은장도 크기의 나무칼 깎아 지니기도 하고
헤집어 가슴 깊은 꽃잎 몇 개 꺼내 닦는 일과
지조 또는 순수를 견주고 있었지.
참억새나 개여뀌, 솔새, 왕수리취가
소리없이 이 땅에 자라고 있을 때
형은 한두 개 황홀한 자유와 향기에 취해
떠돌이 돌중이나 될까말까
흘려보내고 있었지.

7. 제23육군병원

제23육군병원으로 후송된 석기형은
맥박을 두드리며 떨어지는 링겔
낯달같이 하얗게 비워져 내리면
링겔줄 갈라 며칠씩 펜대를 만들었단다.
군가 사나이 한 목숨 부르며 중대원들
군화소리 탄탄하게 들녘 끝 달려가고
자갈틈으로 몇 번인가 곤두박질치던 하늘
견딜 수 없는 노을의 붉음이 흥건히 목을 넘어왔단다.
실험용 잔나비나 다루듯 가슴에 칼을 긋고
휘갈겨 쓴 병상카드 수술대 끝에 건 채
젊은 군의관들은 가슴을 닫았다지.
용화사 뒤 육군병원 철조망서 바라보면
대보름날 돌쌈하던 작은가갯골 큰가갯골
오동꽃 내음 달려오는 고향집 지붕 지척인데
가끔 링겔 같은 눈물이 흉터 위로 떨어지고

어여쁜 소녀가 나를 나를 찾거들랑
전선으로 떠났다 말이나 전해주오
보급품 마분지에 써보다 늦게사 알게 된
결코 이 하늘 아랜 없는 서정적 전선
전해줄 이 없는 펜대 머리맡에 쌓여가고
이 땅엔 쉬이 서리가 내리기 시작하더란다.

8. 사격명령

사격명령이 떨어지던 날
탄창 속의 $M_{16}A_1$ 신형 탄알처럼
징발된 민간차량에 가지런히 탑승되어
비포장도로를 달려갔다.
정갈한 저녁 바람은 예년처럼
보리수염을 쓸어가고
개인호를 파고 들어앉은 우리 앞에
인도지나의 풍문으로 듣던 안개가

호남평야를 기어오고
바리케이트 뒤에서 몰래 탄창 제일번 실탄을
거꾸로 장전하는 짧은 순간
가장 깊은 밤의 이슬이
어깨를 밀고 들어왔다.
그 밤 터무니없는 죽음의 가도에서
고려중기의 젊은 농군을 만나고
亡伊와 亡所伊를 만나고
鄭仲夫의 다듬어진 칼과 普賢院의 차디찬
화강암에 이마를 부딪고 쓰러진
그 흔한 죽음의 기록도 없는 한 야사의
문신들을 만났다.
십칠번 국도 위에서 역사를 우롱하던 바람은
한 찰나도 빼놓지 않고 피묻은
뻐꾹새 울음을 귓가에 실어오고
부대끼는 밤구름을 능선 위에 옮겨왔다.
안전장치를 풀고 방아쇠를 당겨도

이제 나의 개인화기는 발화하지
않을 것이다.
참으로 부끄럽지 않은 사람은 누구인가
역사여, 우리를 시험에 들게 하는 역사여
구름 그림자에 눌리운 이 깜깜한 오월의 국도 위에서
참으로 부끄럽지 않은 사람들은 누구인지
당신도 헤아리고 있는가.

9. 익모초

아우야, 신물나도록 씹던 옥수수 대궁
보이잖니, 애호박과 호박구덩이 인분
수수 뿌리가 크는 흙과 거름 옆에
익모초 우쩍우쩍 솟는 잎들 보이잖니.
杜門洞 72賢 淸松堂 우리 할아버지
그 속에 서 계시잖니.
구석지고 그늘진 울의 뒤꼍에서도

햇살과 하늘 떳떳이 껴안고 선 익모초같이
가장 뜨거운 햇발 함께 짓이기고 짓이겨져
한 사발 비취빛 쓰디쓴 약액으로 고일 용기를
흙 속에 차곡차곡 심고 계시지 않니.

제 2 부

각   혈

다시는 절망하지 않기 위하여
마지막 약속처럼 그대를 받아들일 때
채 가시지 않았던 상한 피 남아
이 신새벽 아내여, 당신이 내 대신
울컥울컥 쏟아내고 있구나.
삶의 그 깊은 어딘가가 이렇게 헐어서
당신의 높던 꿈들을 내리 흔들고
아득히 가라앉는 창 밖의 하늘은
강아지풀처럼 나부끼며 나부끼며 낮아져
맥박 속을 흐느끼며 깊어가는구나
굳어지지 않기 위해 끊임없이 당신의 살 속으로
걸어 들어가는 이름도 알 수 없는 목숨을 따라
내가 한없이 들어가고 있구나.
그러나 아침 물빛 그대 이마에 손을 얹고
건너야 할 저 숱한 강줄기를 바라보며
아내여, 우리는 절망일 수 없구나.

미치광이풀

故 孫興涉에게

섬바위 넘는 길에 진달래 피었더라.
골바람에 벼랑흙 한 켜씩 무너지고
문둥이 새살처럼 진달래 돋았더라.
층층구름 밑으로 살구꽃 피어나도
겨울 벌판에 쓰러졌던 너는 돌아오지 않고
그늘 밑에 못 보던 미치광이풀 몇 개
낮게 끌어덮은 겨울흙 비집고 솟았더라.
미치지 않고는 살 수가 없다고
스산한 무대 뒤켠 분장실을 나오며
우렁우렁 울리어 대던 네 목청처럼
곤곤한 봄날 독을 품은 풀 몇 개 솟았더라.
살아서 한 그릇 양식이 못 되던
네 몸짓 지금은 또 얼마나 썩고 있느냐.
그깟 이삼류 지방 연극배우에 목숨을 걸던
네 가난한 오기는 또 얼마나 썩어 있느냐.
그 흔한 봄사월 진달래 한 뿌리 못 되고
미치광이풀로 솟아나온 친구야.

쇠 비 름

뿌리째 뽑아내어 열흘밤 열흘낮 말려봐라.
수액 한 방울 안 남도록 두었다
뿌리흙 탁탁 털어 가축떼에게 먹여봐라.
씹히고 씹히어 어둡고 긴 창자에 갇히었다
검게 썩은 똥으로만 나와봐라.
서녘 하늘 비구름 육칠월 밤 달무리로
장마비 낮은 하늘에 불러올 때
팥밭의 거름 속에 숨어 빗줄기 붙들고
핏발 같은 줄기들 다시 흙 위에 꺼내리니
연보라 팥꽃 새에 이 놈의 쇠비름
이 질긴 놈의 쇠비름 소리 또 듣게 되리라.
머리채를 잡힌 채 아아, 이렇게 끌리어가도.

칠   석

오늘밤이 당신들 만나신단 그날이라면
어두운 저 하늘을 온몸으로 가겠어요.
당신들의 발 아래 철철철 피 흘리며
까마귀 까치처럼 머리를 벗기운들
아려오는 기쁨으로 목줄기가 탈 거예요.

오늘밤이 당신들 만나신단 그날이라면
차디찬 은하물 건져 튼튼히 몸을 씻은
당신들 앉아 가실 수레가 돼야지요.
그때는 저 어두운 강 따로따로 건너잖는
당신들의 몸을 묶는 칠공칠 되고말고요.

그토록 머흘고 머흔 세월을 흘러내려
오.늘밤이 당신들 만나신단 그 밤이라면
두 몸의 핏줄 속 눈물로 섞이어
하늘 위 잉아 구름 속 베틀 적시우고
이 땅의 온갖 갈라진 것들 적시기 위하여
덩어리 덩어리 되어 평생을 떨어지겠어요.

이 땅에 봄이 올 때

이 땅에 봄이 올 때
백목련의 도도함이나 황매화 꽃자리를
먼저 생각지 말아라.
겨우내 굳어 있던 쟁기날 깨어 일어나
갈아엎은 부드러운 흙도 흙이려니와
이 땅의 삼월 점점이 뿌려진 풀들
윤달조차 끼여 올봄 이리 더디 올 때
논둑 비탈 들불로 그슬린 잔디뿌리 더듬으며
개울가 버려진 바위 엉서리 비집으며
부들부들 몸 떨며 눈 틔우는 들풀
벌금다지나 어린 참쑥잎 황새냉이순
이 땅 저 땅 가리잖고
지금쯤 남녘 어느 얕은 산발치서 신호하여
장백산맥 근처까지 불 붙이며
뿌릴 흔들고 있을 이 땅의 크낙한 일깨움
그 푸른 빛을 당신은 올봄도 또 보잖는가.

삼월 삼진날

삼월이라 삼진날 푸른 물에 머리 감다
손바닥으로 물을 밀고 눈 들여다 바라보니
손목을 감으며 남에서 오는 재구름
지금쯤 남쪽의 어느 구름 아래로
제비떼 열지어 몰려오고 있겠지.
때로는 이른 비에 깃날개도 적시우고
빗물 묻은 부리를 닦으며도 오겠지.
청명 한식 지나고 나면 개나리도 옮겨 심고
그쯤이면 우리 마을 깊숙이 날아들어
개흙 찍어 지어놓은 제 살던 집 추녀끝
살구나무 북녘 마을 지붕 아래 서까래
암컷 수컷 짝을 지어 새끼 낳고 넘나들고
남쪽 마을 살던 제비 남쪽으로 찾아들고
북쪽 동리 살던 것은 북쪽으로 갈 테지.
삼월이라 삼진날 푸른 물에 머리 감다
두 손을 물에 넣고 재구름 만져보네.

코   피

망초꽃 아래에서 약속을 할 때 눈썹 눈썹 뽑아내어 글자를 만들었지. 견딜 수 없어 견딜 수 없어 새끼손을 깨물었지.

목젖이 갈라지도록 지르고픈 소리가 있었지. 이 땅이 너무 넓어 소리를 질렀어. 이 길이 너무 멀어 노래를 불렀어.

안 올 사람 기다리는 언덕받이 등불말고 어두운 이 땅의 어느 기슭을 흔들리며 긁어대는 불빛이 있었지.

사랑도 있었지. 나뭇잎 만지며 다가오는 바람말고 구름 그림자 끌고 눈썹 끝을 지나가는 바람도 있었지.

이 땅이 너무 넓어 가없는 꽃 뿌리신 이유로 몇천 번 구름으로 채워도 허허로움 끝없어 몇 마리 새를 날게 하신 이유로 우리도 흔들렸지.

우리 앞에 풀잎 하나 흔들리잖아. 견딜 수 없어 견딜
수 없어 흔들리잖아.

규 화

규화는 미쳐서도 학교가 가고팠다.
생머리칼 너울너울 울타리 넘어들면
야외 학습장 향나무들 낮은 키를 흔들며
강 건너 밭둑 너머 비냄새를 불러왔다.

보따리 속 청치마 꺼내 두르고
음악 선생님 담임 선생님 상기도 계신가
선생님 난 말예요 노래가 젤 좋아요.
바람 사이 구름 가듯 규화는 노랠 하고

규화 아빠 규화 언니 모두 미쳐서
푸른 하늘 손 찌르고 신신한 꽃 쥐어뜯으면
재구름이 키 큰 나무 머리까지 밀려와선
후두둑 여우비를 장마비로 옮아갔다.

동생 새끼 의사 새끼 규화 아빠 욕을 하며
저자거리 추녀 밑에 웅얼웅얼 책을 읽고

열일곱 가슴 오월잎들 신들린 듯 흔들리면
빗속의 나무들이 친구처럼 보였다.

너희들은 얌전하여 미칠 수 없고
목소리 크고 피 뜨거운 규화만 미쳐서
미쳐도 눈을 뜨면 학교가 가고팠다.
뜨거운 목소리 비 적시며 노랠 하고 싶었었다.

泉 城 島*

都彌의 말

나는 당신처럼 빛나는 칼을
갖고 있지 못합니다.
붉은 옷을 입어본 적도 없고
말 달려 짐승을 잡아본 적도
없읍니다.

무엇이 당신을 노하게 했을까요.
당신이 우리를 시험에 들게 하므로
우리가 그물을 벗으려 할 뿐입니다.
당신이 이 누옥에 흙발을 들여놓으므로
우리가 마루를 깨끗이 닦을 뿐입니다.

제가 무슨 죄를 지었을까요.
이 땅의 풀 한 포기 소중하여
나의 아내가 소중할 뿐입니다.
이 산의 꽃 한 송이 아름다와
나의 아내가 아름다울 뿐입니다.

어둠 속에서 오히려 하늘이 보입니다.

내게 침묵은 움직이는 소리여요.

두 눈을 뽑힌 뒤로

백리 물 밖 아내의 목소리가 더 잘 들려요.

부끄럽지 않고자 하여 죄인이 되었어요

당신의 칼 앞에 어리석지 않고자 하여

나는 죄인이 되었어요.

기억해 주세요, 당신이 뽑은 나의 눈알이

어느 낮은 땅 속에서 구슬처럼 딴딴해져 가고 있음을.

    * 도미(都彌)가 개루왕에게 두 눈을 뽑히고 쫓겨나 나뭇배에
      실려 다다른 섬.

외 돌 괴

우리들이 기다리는 건 이웃 나라 관광객이 아니야.
이 나라 반도땅 마침표로 찍힌 섬
두 길 밖 바다 위 외곬로 뻗어 서서
밟히지 않는 벼랑머리에 애기솔 한 그루 키워두고
고향 사투리 같은 바람에 푸른 솔잎 씻으며
우리들이 기다린 건 이웃 나라 관광객이 아니야.
아프던 바닷바람 고구마 흙뿌린 벌써 잊고
참말로 침대와 비바리 늘상 모자라
봄이면 이 섬도 자유항이 된다더냐.
딸년은 키워서 관광안내나 시키고
사내놈은 키워서 호텔 보이를 시키고
참말로 이국의 관광객이나 기다리게 한다더냐.
아직 무너지지 않는 외곬의 심줄
버리지 못한 이어도 가락 있지 않니
백록담 깊은 곳과 살 섞고 피 섞어
뜻 굳은 섬아들 아흔아홉쯤 실히 낳아
 한라산록에 귀지가 같은 노래라도 부르게 해야 하는데

그리움이라 하던 이도 잊었다더냐.

돌아오지 않는 하루방의 뚝심 센 목청

무엇을 기다려 이 자리 우뚝 서 있는지 잊었다더냐.

흑인 혼혈아 여가수에게

감사합니다 하나님, 나를 흑인으로 창조하신 것을,
나를 모든 고통의 합계로 만드신 것을.
——베르나르 다디에

그대는 아메리카와 아시아가 만난 것보다
훨씬 깨끗하다.
아시아의 한 국가원수가
아프리카 고유 의상을 두르고
오찬회에서 미소짓는 모습보다
그대 웃음은 훨씬 솔직하다.
누구는 그대를 한국전쟁의 선물이라 비웃지만
내 아들 정상인으로 자라났음이 가장 기쁘다던
어느 검둥이 챔피언 어머니의 말처럼
그대에게서 눈물겹도록 범박한 아름다움을 만난다.
미 팔군의 박수소리 속에서
틈간 흰 이빨로 조명빛 퉁기며 웃지만
훌륭히 아메리카를 능멸하는 오만
자라지 않는 볼품없는 곱슬머리에 대해
지난했던 성장에 대해 말하지 않지만
팔과 다리로 온몸으로 충분히 말하는

레오폴드 세다르 셍고르나 다비드 디옵의 시에서
밤마다 만나지는
그대 아시아와 아프리카의 악수,
그대 식민지의 울분끼리 모여 이룬 목소리여.

바람개비 새

바람을 따라왔어요.
내가 태어난 곳은 노을의 숲
날갯죽지 얼마쯤을 싸리꽃 새 널어두고
화려한 외로움으로 엎어져 있는
노을의 숲속이었어요.
내 가진 것 쓸쓸한 날개
바람 불면 꽃불로 타오는 가슴
그리하여 이것밖에 없어요.
바람을 따라왔어요.
철들면서 알게 된 것은
구름 밖에도 구름이 있고
하늘 밖에도 하늘이 있다는 것.
번져오는 그림자 어둠을
제 등줄기 가장 가까이까지 내리고
몇 날 몇 밤씩 빗발의 혹독한
회초리 되어 뒷덜미를 갈기고
뜻모를 살의가 칼날을 번쩍이며

하늘에 그물처럼 덮여져 있었어요.
무엇보다 고통스러운 것은
바람 밖의 바람
바람을 따라 사는 운명의 내게
허락치 않는 바람길이었어요.
아는 이는 알고 있지요.
허허로운 이 하늘에도 길이 있고
우리에게도 버리지 못하는
기다림이 있다는 것.
바람을 따라가요, 우리
다른 것은 생각지 않기로 해요.

학   섬

기억나세요, 김수경 님 더홀백 메고 이 섬에 전입오시어
때론 물 길러 동네로 내려오고
통마늘이나 양념거리 얻으러 들고 오신
하얗게 단 식기 속에 고이던 바닷노을
써치라이트 숨죽인 해조음 밤바다 밑으로 옮아가고
보리밭 고랑 짙게 훑어내리던 밤꽃 냄새
엎지러진 꼬막 조개 비린 바닷내음
옷에 물든 풀물 자욱 지워지지 않았어요.
쥐치공장 나가서도 당신 모습 떠오르고
막배를 타고 오며 조명빛 뻗어내리는
전망초를 넋두고 바라보았어요.
단축제대 몇 달 앞두고 전출을 가실 때
선착장 건너엔 학 몇 마리 하늘에 떴었지요.
이 섬에 귀양왔던 조선 적 선비
다시 오마고 언약했다 말씀만 돌아오고
섬처녀 물 차며 서슬 푸른 학 되어 떴다는데
그날도 학 몇 마리 하늘가에 떴었어요.

김수경 님, 다시 대학생이 되었다는 당신의
떼어버린 아기가 꿈이면 보여요.
당신이 걸어주고 간 탄알 목걸이 만지며
당신 찾아 서울까지 갔던 일을 후회하고 있어요.
오늘도 여수 선창 병모가지 이 골목
이층창 추녀끝은 진눈깨비에 젖는데
보건소서 타온 약 베개맡에 밀어놓고
당신이 즐겨하던 뜸북뜸북 뜸북새 부르고 있어요.

다리확장공사장에서

돌정지 다리확장공사장서
젊은 토목기사가 말한
콘크리트 속의 철근은 녹슬지 않는다는
이 말을 나는 잊지 못한다.

날개벽의 도면을 깔고 앉아
의미없이 지껄이는 이 말을 기억하는 건
포크레인의 트랙으로 금잔화나
과꽃의 허리를 밀고 가는
무심함과 거대한 손놀림이 부족한 탓이요,

유난히도 길고 지리했던 장마비
비구름을 비껴가며 녹물이 들어가는
신경을 가르고 들어와 푸르게 번뜩이는
철근들의 의연함으로 해서다.

상금강 버드나무숲처럼 끝동부터

쓸려나가 외진 하구의 탁류 속에서
유월 다 가도록 벗들은 소식 없고

하늘 땅을 뒤덮어 이상저온을 몰고 오는
회벽보다 두꺼운 기류만의 탓일까
올겨울은 예년없이 추우리라 하는데, 사람들아
녹슬지 않아야 할 것이 너무나 많아.

피   리

어제 내린 진눈깨비 두껍게 남아 있는
고개를 넘어오며
그대 그치지 않고 피리를 불 때
그대 몸 한 자루 피리가 되어
해송 사이에 가득한 걸 보았네

그대 넘는 길 눈발이 잦고
바람 격한 건
그대 구름 가린 길 택해서 걷는 때문

꼿꼿한 기다림의 지팡이 잃고
사랑하던 순은의 양떼도 흩어져
더욱 어두워진 송림 사이 목초지엔
감추었던 몇 쟁반 상한 달빛 흩어지고
손끝에 묻어나는
손지문 무늬의 밤의 아픈 부분

골짝의 얼음은 건너 기슭을 넘으려 하고
그대 잃은 게 사랑의 양들만은 아니어
오늘 더욱 차가와진 손등

왜 눈바닥에 흰 이마를 박고서도
섧게섧게 피리를 부는지
어느 넉넉한 마을에 모여 허리를 접는
그대 노랠 앗아간 자들은 알고 있는지

청사초롱

마오 마오 그리 마오. 사람 괄시 그리 마오. 호루라기
소리 놀라 마늘값도 다 못 받고 차고 쫓긴 자라 가슴 안고
이고 종종걸음. 열이레 스무이틀 닷새 건너 육거리엔 문
의 미원 척산 현도 장꾼들이 몰려들어 마늘전 생선거리
떡판 지짐이 흥청이는데 그래도 이 자리 텃값 백 원 운임
이백 원 왕복 차삯 이백이십 원에 앉아 잡은 자리인데 오
늘처럼 청사초롱 거리 거리 내다 걸고 새 단장에 현수막
고무풍선 높이 오르면 큰일을 또 치르는지 호루락 소리
요란하여 마늘값도 다 못 받고 불 맞은 듯 벌 쏘인 듯 짐
보따리 휘둘러 싸 메고 이고 쫓겨야 하니.

마오 마오 그리 마오. 사람 괄시 그리 마오. 하느님 전
이나 귀신 전이나 오직 사람이 천주라 믿고 섬기고 빌어
왔는데 밥은 먹기 싫으면 개나 주면 된다지만 사람 미워
쫓아 밀면 어찌 산단 말이요. 덕봉 엄니 대문니는 예전보
다 더 벌어져 남자 허울 새우눈에 박복하게 태어났어도
아들 셋 딸 셋 남못잖게 키운 것은 해 뜨는 쪽 머리 두고

볕 밝은 쪽 문을 내고 천심이 민심이라 믿고 산 덕택인데 이 돈 없어 여덟 식구 당장 거꾸러 죽을까만 십 원 보고 백 리 간다 마늘접 이고 나온 것은 동전 한 닢 귀히 여겨야 세상살이 귀한 줄 안다는 까닭인데 해 뜨는 쪽 머리 두고 볕 밝은 쪽 문을 내고 천심이 민심이라 믿고 산 까닭인데.

가을 평야

흔들리면서 가을은 온다.
칼을 보여 다오, 친구여
그대 칼의 눈부심을 보여 다오.
그대가 벤 것을 보여 다오.

무너지면서 가을은 온다.
한 손에 칼을 들고
쓰러뜨린 것들 앞에 서서 돌아보던
풀 하나 흔들리지 않는
벌판을 보여 다오.

무너뜨리기 위하여 가을은 온다.
가을에는
내 살 네 살 베이는 것 아니면
만나지 말자, 가을에는
벌판이 아니면 만나지 말자.

무너지지 않는 한 가을은 가지 않는다
이 가을 한 자루 갈이 되어
네가 오너라, 친구여.

제 3 부

냉   해

비 뿌리는 시월 저녁
참댓잎같이 꼿꼿한 나락
한 지게 눌러 베어
외양간 쇠여물로 쏟아주고
홍씨는 정지바닥 모지랑비 깔고 앉아
소주에 싱건지국 마시며
냉해 보상금 얘기를 하며
추녀끝 비구름에 눈을 올린다.
그끄께 구월 태풍에
새 종자 노풍 다락논부터 쓸렸을 때
도복은 보상받을 수 없다고
영신이 영구 조각내온 학비감면 신청서
해마다 독한 것으로 뼈 삭이는 일로
여름 가을 보내고
깊은 흙바람 꿀벌빛 옥니 새
반짝이며 섭히는 무우쪽 하나
냉해 든 열일곱 마지기 나락처럼

건드리면 어둠 속을 우수수 떨어지는
실비.

뒷목

잘된 놈이 먼저 떨어지는 걸까.
뒷목을 까부르는데
도토리 자루 반 이고 돌아가던 중고개 과부댁
잘된 놈이 먼저 떨어지는 법이라고
도토리도 그러하고 나락도 그러한 법이라고
스치는 말 한마디 던지고 가는데
둑 건너 낫공장의 쇠 때리는 망치소리
깡깡거리며 목줄기에 걸리네.
황금의 빛줄기 쏟아지는 소릴 내며
가을 한철 가장 반짝이던 얼굴의
결실들이 타작도 끝나기 전
볏단으로 묶여 쌓이다
이삭 이삭 떨어져 발자국 깊이의
땅에 박히고
결코 생활의 빛나는 수확으로 허락받지 못한 채
우울하게 모여 있지만
뒷목더미 훠싸 안아 바람 끝에 날려보면

뒷목더미 속에도 나락은 나락대로 떨어지고
가벼운 것들은 가벼운 것들끼리 날려
쌓이는 곳이 있는 법이지.
뒷목 속에 묻혀 있는
알도토리 같은 한떼의 정신들이
결코 헛되이 무게 가지지 않았었음을
우리는 알고 있지.
바람이 불 때마다 우리는 알고 있지.

수 제 비

둔내장으로 멸치를 팔러 간
어머니는 오지 않았다.
미류나무잎들은 사정없이 흔들리고
얇은 냄비에선 곤두박질치며
물이 끓었다.
동생들은 들마루끝 까무룩 잠들고
1군 사령부 수송대 트럭들이
저녁 냇물 건져 차를 닦고 기름을 빼고
줄불 길게 밝히며
어머니 돌아오실
북쪽길 거슬러 달려가고 있었다.
경기도 어딘가로 떠난 아버지는 소식 끊기고
이름지을 수 없는 까마득함들을
뚝뚝 떼어 넣으며 수제비를 끓였다.
어둠이 하늘 끝자락 길게 끌어
허기처럼 몸을 덮으며 내려오고 있었다.
국물이 말갛게 우러나던 우리들의 기다림

함지박 가득 반짝이는 어둠을 이고
쓰러질 듯 문 들어설 어머니 마른 멸치 냄새가
부엌바닥 눅눅히 고이곤 하였다.

오   년

친구여, 내 너를 만나고 우울한 까닭은
아직도 사랑이 남은 때문이다.
헤어진 몇 해의 크기를 설명키 위한
희고 잘 마름지어진 명함 위에
바꾸어 쓴 네 이름자 끝 활자 한 개로
너는 그만큼 다듬어진 것인지
욕망은 복수심에 불타는 한 자루 연장일 뿐
가장 단단한 피륙으로 빈곤을 다듬어
어디 바늘 한 땀 들일 데 없다 하지만
내가 보는 것은 바늘구멍
출장에서 돌아오는 네 영업장부를
무수히 메꾼 이름들 사이로
급한 걸음을 떼다 멈춘 한 소절의 공허를 본다.
다섯해 전
몇 잎의 빈곤을 바투 쥔 채 너 돌아갈 때
다시는 내용 없는 이 언어의 땅에
돌아오지 말라 소리 소리 빌던 까닭은

생활이 너의 종교가 되도록
살라는 부탁이었는데
테 없는 안경을 끼고 나타난 너의 모습은
아직도 세상을 미워하는 모습이다.
네 삶의 도구들이 너의 경전이
되어 있지 못한 모습이다.
친구여, 아직도 사랑이 남은 까닭은
비망록 속에서 만나는 몇 행의 고통보다
……… 내 너를 사랑함은
네가 구름도 보았고 땅도 보았기 때문이다.

누님의 병

남모르게 뒷산으로 길을 택해서 복숭나무 그늘에 섰다
온 후론 밤마다 산3번지 고향 언덕은 쉬지 않고 머리맡
에 무너져내렸다.

오늘도 당고개를 넘어가면서 죄지은 자처럼 낯 가리고
기웃거리며 행랑채 격자창 툇마루 앞 오동나무 줄기를 올
려다본다.

안수로 병 고치려 우물가에서 새벽마다 누님이 목물을
할 때 어깨 위의 달빛은 메밀꽃 흰 잎. 열 달이나 끊기었
던 상한 핏줄길 한 아이가 뒤집어쓰고 태어난 뒤에 죽으
면서 쑥뜸자리 맨 먼저 썩어 무덤 위에 억새풀 키 넘게 키
워 새벽기도 종소리 백 날 넘으면 한두 해가 멀다 하고 식
구 하나씩 손짓해서 당신께로 이끌고 갔지.

장롱을 해준다던 오동나무가 한 십년 고목으로 저렇게
커서 가갯골 건너 건너 낯선 골짜기 무덤 위의 억새풀과

80

몸짓하면서 고개 넘어 이 바람을 보내는 걸까 떠돌이로
떠돌이로 그리워 사는 고향을 잃은 것이 그때부털까.

작아지는 것들을 위하여

작아지는 우리의 정신을 위하여
깊은 밤 가장 큰 소리로
너는 내게 온다.

이기지 못한 것들 거대하게 남겨둔 채
바람벽 안 안온함 속에 숨어들어
어깨에 휴식과 온기를 묻히려 할 때

안개 속에서
벌판 끝에서 맥박 속에서
보도블럭 위에서 등불 밑에서
거침없는 소리로 너는 달려온다.

잔혹한 문자들을 빼고 더하다
가느다란 손끝에 파리처럼 잡힌
물집을 터뜨리며
골목 골목 다니며 노래를 부르며

외롭다고 말하며 답답하다고 말하며
너는 우리의 이름을 찾는다.

작아지는 것들을 위하여
지워지는 것들을 위하여
우리를 가볍게 무찌르던 적들이 모두
차광막을 내리고 평온하게 돌아간 밤

야광시계의 분침 사이를 전전하며
시간이 갈라 세우는 이분법을 무시하며
너는 노래로 살아서
비겁하지만
그러나 비겁하지 아니하기 위하여
그러나 비겁하지 아니하기 위하여

문 고 병

뿌리 하나가 썩으면
뿌리 하나의 썩음으로
뿌리 전체가 썩는 것을 보아라.
진흙에 뿌리 내리되
뿌리 내린 자리만큼 진흙을 밀어내지 않으면
섞여 있으되 홀로 있지 않으면
서서히 부패하여 오는 것들을 보아라.
우리가 물을 떠나 살 순 없으되
고여 있음의 안온함에 머물려 한다면
우리가 함께 있어야 서 있을 수 있으되
저마다 줄기 새로 허허로운 바람을
놓아두지 않으면
이렇게 썩어들어가는 것을 보아라.
밑동부터 썩는 병을 문고병이라 하나니
밑동부터 썩는 병을 문고병이라 하나니

바람별곡

그대라 이름 부를 사람이 있었을 때
그대 등 돌리고 내 앞에 섰지만
그건 참나무잎의 앞과 뒤 같은 것
좀더 세차게 흔들 일만을 생각했다.

그대라 혼잣말하며 한 세월 살 때
그대 침묵이 크고 분명한
언어의 무엇을 의미하는지 몰라
어제도 그것을 생각하고 있었지.

쓸모없이 바람 만나 그걸 묻고 있는 동안
그댄 이미 떠나고 있었고
해사한 레이스 자락 눈발이 뿌리고
간혹 새들이 하늘가에 떴다.

사랑의 마지막 한 방울

살아 있는 자 최후까지 살아라.
버림받은 자 몇 번 더 버리움 견디며
이마를 땅에 부딪쳐라.
지금 이렇게 남기고 가는
영원키 위한 걸음의 이쪽과 저쪽에서
그러면 만나는 것이다.
우리들은 모두 용서해야 한다.
설령 그대가 예감하는 죽음이
그대 육신을 부정한다 해도
우리는 만나는 것이다.
그대 뒤에 꽃을 버리는 나무의
격한 향기를 보라.
이것이 우리들 사랑의 전부다.
강하게 돌아서 가거라.
가서는 뒤돌아보지 말고
최후까지 더 버려야 할 것을 생각하라.

소 금

형님은 뜨거움을 강조하지 않으셨다.
불볕 속을 견디고 견디어 가장
나중까지 남은 빛 하얀 소금을 만지시며
곰섬의 그 흔하디흔한 바닷물 앞에서
땀과 갈망의 그 중 무거운 것을 안으로 눅이어
빛나게 달구어진 살갗으로 물들이 탔을 때
그것들을 한 그릇씩 자루에 담아
이웃의 식탁에 조금씩 나누며 기뻐하셨다.
가장 뜨거운 햇살 또 시간을 지나
우리의 허영과 거짓들이 모두 비늘을 털고 날려간 뒤
비로소 양식이 되는 까닭을 알고 계셨다.
육중한 짐자전거 바퀴 위에서 튼튼히 삶을 궁글리며
형님은 한번도 뜨거움이라 강조하지 않으셨다.

연   착

늦도록 세상은 어두워
눈들은 야적장 등불 밑에 싸락싸락 모였다.
무개화차가 참나무 침목을 누르며 떠나고
유리창에 붙어 반짝이는 석얼음들을
몇 번 더 긁어 손톱 속에 녹인 뒤에도
충북선 열차는 오지 않았다.
먼데 산이 무너앉듯 밀려오는 귀울음
가끔씩 언 석탄가루가 서벅서벅 뺨으로 날리고
살바람이 불어와도
판자지붕 위로 조금씩 싸락눈은 머물고
늦도록 오직 한 가지만을 생각했다
가랑눈이 풀풀 날리는 젊은날도 그랬다.

제 4 부

산 직 말

큰고모네 식구들은 모두 쫓기고 없었다.
나이 삼십에 홀로 되시어
배추장수 파장수로 진갑 고개까지
가을 서리 겨울 된바람에 머리칼 날리며
시들어 더욱 아름다운 갈대처럼 살아온
산직말 등에 두고 파밭 고랑 넘으셨다.
봉분 끊어 애비 에미 살이 썩은
붉은 흙 떠안고 희게 남은 뼈를 추려
마을 사람들도 선바람 속으로 흩어졌다.
삼태기같이 아늑하게 마을을 싸 안은
산을 믿고 산을 지키며 살아온 산직말
호반도시 시립공원 시민 휴식처 만든다고
첨단기계산업 빛나는 도시터를 닦는다고
사람들이 쫓기고 없는 우물가에
점령군의 깃발 같은 붉은 기를 꽂고
무우밭에도 개복숭나무 언덕에도 꽂고
문간방 구들장 옆에도 꽂고

작전지도처럼 그어진 포장도로들이
앞산 뒷산 맥을 끊으며 달려오고 있었다.
솔가리 군불 지피던 아궁이가 털리고
아직 다 무너지지 못한 바람벽 안
수숫대가 중장비 소리에 흔들리고
갈 곳이 없어 고리짝도 싸지 못한
명수네 세운네 지붕 낮은 두 칸집 드락에는
떠나지 못한 몇 켤레 신발들이
선진공업화의 부르도저 소리에
낮이고 밤이고 웅크려 떨고 있었다.

황선생님

사월 그날이 오면 마당조회를 했다.
지금 생각하면 혁명공약 몇 줄이
책의 등짝마다 낙인처럼 박혀 나오던 시절인데
까까머리들 모아놓고
교장 선생님은 황선생님을 조회단에 부르셨다.
대학 다니시던 때 맨주먹 총부리에 까이우며
몸 분지른 선생님이라 하셨다.
우리가 다니던 그 학교 울타리엔
유독 버드나무가 많았고
버드나무처럼 몸이 가는 황선생님은
조회단에 오르셔서 느리고 느린 사투리로
차돌만하게 보이는 주먹을 들고
몇 번인가 자유라는 말씀을 하셨고
운동장 조회가 끝나고 사회 시간이 되어서도
한 시간 내내 그 말씀만 더 하시곤 했다.
그때 우리를 가르치시던 그 많은 선생님들이
교장이 되고 교육장이 되고 무엇이 되었다는데

누구도 황선생님을 이야기하는 사람은 없었다.
버드나무 가지처럼 흔들리던
황선생님 목소리는 사라지지 않고 아득히 살아
자라서 우리가 선생이 되어
하루에도 몇 번씩 정성스레 교실문을 열며
굳고 단단한 몇 개의 글자 위해 몸 깎다
백묵처럼 부러지고 싶을 때
황선생님은 눈록색 버들잎 주렁주렁 흔들며
아침 안개 엉긴 창 안을 기웃대고 계셨다.
해마다 사월 명지바람 부는 때
버드나무잎으로 흔들리고 계셨다.

座 狗 山

이 나라 조선의 모든 개들처럼
답싸리 말려 마당비 묶는
늙은 머슴 곁에 목 늘여 앉아
사람 사는 한평생 이야길 듣거나
똥밭에 굴러도 이 세상이 좋은
쌀안골 사람들 따라 따라
절로 순박해지는 일이 고작.
사람 사이 살다 사람들 곁에 죽어서도
쌀안골 사람들 곁에 있고 싶었어요.
그해 임진년 건너산 북바위에서도
둥둥 우는 북소리 들리고
우리도 목청 갈아 산울림이 되었을 때
사람들 속에선 우렁우렁 울리는
좌구산의 목소릴 알아듣는 이들 있어
청석골 푸른 바위 이끼 운암 마을 안개 속
더듬어올라 도적떼를 피하게도 했지요
살아서나 죽어서나 이 땅을 위해

목 터지게 소리 질러야 하는 때가
꼭 한번은 있음을 우리는 알지요
요즈음도 오동나무 찍어 만든 장구 변죽
북편 채편에 암놈의 가죽 한짝
숫놈의 팽팽히 물먹은 가죽 한짝 만나면
덩덩덕쿵덕 세마치로 장터를 돌며
헌걸차게 울리는 개가죽 장구소리 뜻
알아듣는 이들이 있을 겁니다.

우리들의 땅

교수님, 코리안이라 불러봅니다.
국가보다 민족을 위하여
이해할 수 있지만 용납할 수 없는 것들 많아
아름다운 내일의 민족주의 꿈꾸며
유학생 학생운동을 지도하시는
교수님 말씀 들으며
아닙니다, 코리안이라 불러봅니다.
당신이 만나신 러시아 망명작가
꼬박꼬박 합중국의 세금을 바치는 자유시민이면서
수용소군도의 고국을 잊지 못하는
돌아가지 못하는 슬픈 민족주의에 대해
생각합니다.
살아 남아야 한다는
슬프지만 슬프지 않게 살아 지켜야 한다는
온화한 독기에 대해 생각합니다.
가로 왈자로 날 일자로도 가는 장기알말고
가다가 뛰어넘어 가는 장기알말고

곧게 밀고갈 줄밖에 모르는
사는 길이 견고한 부딪침인 장기알을 봅니다.
아메리카로 가서 아메리카의 교수가 되신
교수님, 코리안이라 말고
우리들 이렇게 불러봅니다.
바위틈에서 솟는 약수처럼 가슴 뚫으며
살아 지켜야 할 이 땅을 생각합니다.

휴지 소각장에서

휴지 소각장에서 복사판 일본 만화들에
불을 달렸다.
매캐한 연기에 늦게 떨어진
굴참나무잎이 간혹 몸을 뒤틀고
황토 언덕 끝 강아지풀들
까칠한 머릴 들어 내려보고 있었다.
황금을 위하여 암투와 살육 서슴지 않는
채색된 흑백논리의 의리 또는
복수극의 음험함이
몸을 뒤채며 타들어 갔다.
이 땅의 아이들을 향해 너무도 당당한
도서잡지 윤리위원회의 굵은 도장이나
기업주를 위하여는 살인과 파괴도
정당성을 인정받는 잘 생긴 주인공과
어깨 너머 다국적 미인 하나
저급한 애정행각을 벌이는 겉장만 그슬릴 뿐
속 깊은 곳으론 더디게 몰려드는 불꽃 보며

이 시대의 오래된 반일감정

그 껍데기만을 태우는

정신들을 생각한다.

더 무엇을 받아들인다는 것일까

이렇게 철저히 베껴먹는 문화와 가르침과

나태한 말초신경 위에

낯 뜨거운 악수의 몇천 겹 웃음

덮씌울 게 남아서

가다까나 글자들 깃발로 나부끼며

이 거리 구석구석을

발소리 자욱하게 달려온다는 것일까

강 안개에 묵은 버들잎 소리도 없이 지는데

바짓가랑일 넘나드는 불꽃들도 뜨겁지 않고

부러진 은사시 가쟁이로 불씨를 뒤적이며

이렇게 정강마루 떨리는 것은

무슨 까닭일까

첫   돌

아가, 할머니는 너를 안고 알맹이라 하는구나
엄마 아빠의 헐벗은 껍데기 속에서
네가 나온 것이라 하는구나
네가 살 아린 울음을 붉게 쏟으며 나오던
그 눈 따가운 형광빛 복도에서
아빠 읽고 있던 폴란드 민족시집을 덮었었지.
분단된 시대 약소민족 유색인의 아들로
이 땅에 끊임없이 아이들은 태어나고
빈 거리엔 오래전 틀어앉았는 갯내
굳고 더께가 앉아
더욱 견고해져 가는 어두움 속에서
사람들은 상처와 상처의 흔적이 굳어서
비로소 아름다운 구슬이 이루어짐을 잊고
알맞은 문닫음 조갯살로 자라나길 바라는
돌잔치 백일잔치 속에서
갈라진 땅 약소민족의 아들인 네가
유색인의 아픈 나날을 느껍게 깨닫는 날이

살다가, 살다가 꼭 와주어

아가, 할머니 말씀대로

너희가 정녕 물차돌 같은 알맹이로 남기 위해

곡괭이질 해야 하는데

껍질을 부수며 있어야 하는데

낙포*의 소나무

극단 연우무대를 위하여

저희를 버힌 자들을 알고 있어요
가슴에 창을 찔리우고 형틀에 달린 자처럼
지탱해야 하는 목숨을 알고 있어요
봄이면 솔잎 끝에 빻아진 송화가루로
우리 가슴 노랗게 태우고
낙포 선창 갯바람 어우러져 고갤 넘으면
사랑하는 사람들 목덜미 노른자빛으로 젖게 하던
그 아아로운 하늘도 잃었어요
봄 오고 또 봄 와도 진달래 돋지 않고
날개 푸른 새들도 돌산島 건너가
머혼 이 하늘엔 돌아오지 않아요
밤이면 유황을 태우던 불꽃마다 달려나와
살과 뼈를 남모르게 지지고
상암리 자갈돌 위에 소문을 검게 뿌리네요
산성비에 젖어 붉어진 흙 위에라도
한삼 덩굴 청미래 덩굴 끝끝내 남아
깊디 깊은 끈으로 이 땅을 덮는 까닭을

저희는 알고 있어요

* 전남 여천군 삼일읍 여천공단 부근의 선창으로 이 부근의 호남
정유, 남해화학, 여수화력 등에서 내뿜는 아황산가스, 불화가스
등에 오염되어 공단 중심 반경 1~2km 내의 소나무는 자취를 감
췄고 8km권 안까지 10~20%가 고사하고 있는 것으로 나타났
다.

살구꽃 진 자리
살구잎 돋는 날은

살구꽃 진 자리

살구잎 돋는 날은

노래

부르고 싶다.

범벅골 넘는 길

오래 물 고인 우물가

샘물 한모금 손에 담으며

노래 부르고 싶다.

보리누름부터 걷어붙인 굵어진 팔뚝처럼

단단하게 살갗을 그슬리며 노래하고

여름날 흙에서 꺼낸 발 맞흔들며

어우러져 옹헤야로 어깨를 겯고

봉숭아 꽃씨처럼 하늘로 터지든가

화톳불 지피는 가을밤

불씨 되어 이웃 이웃을 빠르게 날고

어둠 지나 여유론 걸음 돌아오는 길

이 땅의 한 포기 풀이 듣고

모든 이 땅의 풀뿌리들이 듣고

뿌리 끝 흐르다 아리게 뻗아내는

아아, 살구잎 진 땅 위에 살구씨 묻는

내 나라

노래이고 싶다.

너를 보내며

진아, 조국은 환상과 낭만이 아니다.
엄마 찾아 큰 나라로 가면서
할아버지께 길든 열다섯 해 모국어
팔년 반 배워온 단답형 역사라도
꼭꼭 보자기에 싸 가겠노란
살찬 네 뜻을 믿지 못함이 아니다.
네 손에 이 역사책 건네는 것은
피와 눈물의 얼룩으로 활자가 된 내 나라
반쪼가리 역사밖에 못 가르쳤기 때문이다.
상징과 은유로나 일깨워야 하던
네 모국어의 수화를
수화로 통해야 하는 부끄러운 진리를
안타까와하기 때문이다.
자라며 지워지고
돌아올 길 없어 향수로만 남을 때 다시 펴보거라
조국은 한번도 환상과 낭만으로
존재한 적이 없었니라

합리적 명예를 곧잘 말하는
건장한 백인들이 보무도 당당히 오가는
새아빠의 나라에 옮겨가거든
작은 키의 유색인인 네가
옹골진 자존심으로
줄곧 일등을 빼앗기기 싫어 하던
네가 자꾸만 작아져 가거든
이 책의 마디마디를 펴보아라
어떻게 광활한 뜻 품었던
아시아의 한 유색인종이
지금 넋도 뼈도 다 앗기운 채
반쪽으로 찢어져 상해가고 있는지
반으로 나뉜 그 나라 사람들이
아빠 같은 주둔군을 미워하는 이유와
세계사는 다시 씌어져야 한다 말하던 까닭을
어째서 조국이 피와 눈물의 깊은 자존심인가를
그 나라에 가서도 잊지 말라는 뜻이나, 진이.

죠센 데이신따이(朝鮮挺身隊)

1

전라도서 끌려온 명자 언니 죽을 때

삼단 같은 머릿단 잘라내어 보에 싸서

나의 살던 고향은 꽃 피는 산골

언니들 따라 부른 노래 반 울음 반

누군가는 살아서 이 머리칼 울 엄니께 건네주오

걸음 바로 못 걷던 명자 언닐 안고 들어

위안소 언덕 위에 가슴앓이와 함께 묻고

돌아와 그 밤도 찬물로 아랫도릴 식히며 울었어요.

기름접시불 흔드는 야자수 그림자 검푸른 하늘로

달구벌 성당 종을 치던 아버지가 보였어요.

두 방 건너 열아홉살 강원도 조선삐

야자수 가지에 목을 매어 죽을 때도

따라 못 죽은 목숨의 쓰디쓴 씀바귀 뿌리

이따금씩 위안소 근처를 지나가는 포탄소리

유월의 뜨거움을 갈기갈기 찢으며 멀어졌어요.

2

나 조선여자 月城裵氏 裵玉水
일본군 위문하는 애국봉사대 간호원이라 속이어
위안선 배밑창에 멀미하며 끌려와
버마땅 밀림 속 2원 50전짜리 위안부
아이꼬(愛子)가 되었어요.
각반 끈도 끄르잖고 밀려드는 왜놈들
까맣게 쓰러진 내 몸에서 죽창의 날카로움으로
낮이고 밤이고 부끄러움을 도려내 가고
열여섯 내 순하던 육신은
버려진 삭구처럼 꺼져갔어요.
조선여자 몸에서 부끄러움 빼내고 나면
더 무엇이 남아 있는지
나를 밀어 보낸 조선은 알고 있을 거예요.
저녁별 질 때쯤엔 허리가 빠지고
삼백예순 뼈마디 물처럼 녹아나

누워 악물며 살별처럼 아득히 까무라치며
받아내고 받아내던 왜놈의 배설물
조선옷은 빛이 희어 왜놈들이 쏟은 뗏물
빨아도 빨아도 지워지지 않았어요.

3

어머니, 나이가 찼다면 몽고 족도리 얹어
문둥이한테라도 시집을 갔겠어요.
쇠비름 심줄이 목줄기에 돋고
살들이 돼지감자만큼 부풀어 터져요.
밤이슬도 가누기 겨워 연하게 고갤 꺾는
깨끗같이 살았어야 내 나이 열여섯
누워서 주먹밥을 씹으며 바라보는
얼룩얼룩 은하수는 고향 하늘에도 번져 있고
보랏빛 가지꽃 소리없이 흔들릴 텐데
몸을 누르는 목숨은 견딜 수 없이 무거워요.

끈적끈적한 이 노여움 닦아낼 기력조차 없고
말라리아 모기에 찔리운 듯 뻗어오르는 발열
가까운 곳을 지나가는 폭격기 소리와 공습경보
어머니, 잠이 들고 싶었어요.

4

번개가 지나가는 하늘 아래
우리는 누워 있읍니다.
낮은 데서 바라보는 산들도 이제는 낮고
궐련도막에 빨갛게 불을 붙이며
일본군 고쪼는 등 굽혀 어둠 열어 나가는데
어금니에 물려 떨리는 천둥소리
발톱 끝을 때리는 빗물에도 아파요
늦도록 군표 쪽지나 지전을 세고 있을
늙은 포주의 방엔 불이 흐리게 새고
문 앞마다 걸린 우리들 사진이

빗소리에 흔들리며 가슴 복판 두드려요.
어머니, 젖고 있어요
저희는 누구의 딸이어요.

5

군표 보따리 머리에 이고 강물을 건너올 때
말라빠진 허벅지를 흘러내리는 흙물과 몸뻬
우리들 긴 머리칼 급류 속에 휘감기고
몸과 바꾼 군표 쪽지 흙탕 속에 떴다 갈앉는데
조선삐의 절망은 흔적조차 없었어요.
아픔엘랑 감각 없는 몸인 줄 알았는데
억센 풀잎 긋고 가는 팔목 그슬린 허리엔
아직도 아픔이 뻘흙처럼 붙어 있었어요.
랭군 포로수용소서 그게 바로 목숨인 걸 알았어요.
두 번인가 세 번인가 경상도 칠곡
어머님께 부친 소식은 물길이나 건넜을까.

봉사대 끌려간 딸들 사내지옥 쑤셔박혀
시나브로 정액받이로 죽어 나가다
후퇴길에 서양사람 총 들고 선 철망 안
포로수용소에 갇힌 줄 짐작이나 하실까요.

6

조선엔 전쟁이 일어났다던가
남과 북이 갈라섰다던가 그해에도
안남땅의 전쟁은 끊이지 않고
총탄소리 귀울음처럼 떠나지 않는데
싱가폴로 방콕으로 인도지나 뒷골목으로
아오자일 두르고 헤맨 지 근 십년
조선에서 군대가 월남땅에 온단 말을 들었어요.
조선사람도 전쟁을 하러
바다 건너오는 걸 처음으로 알았어요.
한 겹 아오자이 꽁까이들 갈대숲에 몸 가리며 달아나고

원하는 전쟁 아니니 남의 사람 모두 **가라고**
스님들 꼿꼿이 다리 틀어앉은 채
붉은 불 끼얹어 몸 태우며 항거해도
만국기 날리며 악대를 앞세우며
얼굴빛 다른 가지각색 군인들 전쟁을 하러
남십자성 아랠 오고가며 모였어요.
음을한 포구름은 내 목숨의 둘레를
한번도 떠나지 않고 질기게 따라붙었어요.

　　7

잦던 포연기 사이공 마지막 하늘 덮었을 **때**
남지나해 뜨는 배를 다시 탔지요.
옷가지 두 벌 배를 탔던 부산 부두에
뱃고동도 없이 밀려들어 왔어요.
지치도록 헤매어도 수십 일이면 오는 뱃길
서른 몇 해 넘어서야 돌아왔어요.

114

민들레꽃 제비꽃 그대로 피었지만
언니도 고향사람도 날 부끄러워했어요.
월남 난민수용소
참말 돌아오리라 생각은 못했어요.
먼저 죽은 언니들 올 검은 머리칼
안남땅에 버려두고 나 혼자 왔어요.
성당 종지기 우리 아버지 종소릴 듣고 싶었고
손잡은 노끈 따라 하늘로 퍼지는 푸른 심줄
야학당서 바라보던 그런 아버지 모습
두고두고 바라보고 싶었지만
모두들 안 죽고 돌아온 나를 부끄러워할 뿐
힘없는 나라에 태어났던 걸 부끄러워하진 않았어요.

8

관부연락선 다니던 뱃길로 벌써부터
일본배가 들어오고 있다믄요.

탄전으로 전쟁터로 조선청년 실어가던 뱃길 따라
꽃나들이 오입질하러 늙은 왜놈도 실어오고
사꾸라꽃빛 붉은 볼 잘도 큰 일본딸들
봄이면 화사히 웃으며 수학여행 온다믄요.
이십만 못다 핀 조선처녀 군화발로 밟아간
그런 니또헤이 고쪼들이 아직도 살아남아
관광 비행길 타고 제주도에 서울에 내려
사업인지 합작투자인지 꽃 같은 이 나라 처녀
몇 년이고 몇 달이고 데불고 살다
버리고 달아나도 또 오십사 뱃길을 열어주고
누구 하나 쓰다달단 말 한마디 없다믄요.
내 살 깊은 곳 찌르고 간 식민지의 낙인 하나
아직도 살갗에 흰 머리에 두터웁게 만져져요.
도라지꽃 우리 인생 꺼낼 말이 있을까만
그늘 속에 평생길 한번 피도 못한 도라지꽃
죄없이 약한 저희더러 누굴 용서하라 하시나요.

詩와 歷史

李　東　洵

　역사라는 말을 곰곰 생각해보면 그것이 지금까지의 인간생활의 내부를 열람해볼 수 있는 등기부라는 느낌이 진하게 들 때가 있다. 무릇 인간생활과 정신의 전통을 알게 해주는 것들이 한둘이 아니겠지만 그 중에서도 가장 구체적인 인간의 정서 및 그 원형을 감동적으로 알게 해주는 역사의 등기부가 곧 시가 아닌가 한다. 그 동안 무수히 흘러온 시간 속에서 그 시대의 명사(名士) 혹은 지배자들에 대한 아첨에 의하여 거의 대부분의 경우 역사는 진실의 투명함이 흐려지고 본체마저 왜곡되어지는 경우가 많았다. 이것은 지금의 우리로서는 당장에 어쩔 수 없는 사태인지도 모른다. 그러나 다만 역사의 가장 진지한 관찰자이자 그 자신이 역사적 존재 중의 하나이기도 한, 맑은 감수력을 지닌 시인의 눈은 역사 속의 오랜 굴곡과 비뚤어진 인간정신을 누구보다도 똑바르게 보고 용감하게 지적해낼 수 있었다. 왜냐하면 시인이야말로 자기가 처한 환경과 역사를 소중하고 튼튼하게 가꾸어가려는 일념으로 오직 '사물의 처음'을 찾아 애쓰는 사람이거나 혹은 '이어야' 하기 때문이다. 시인이 역사가와 함께 먼지 속에

117

서 찾아내고 재정리해 놓은 '사물의 처음'을 통해서 우리는 우리들 자신의 오늘과 또 그 이후의 삶의 엄숙성을 가장 곡진히 깨달을 수 있을 것이라고 믿는다.

도종환은 우리에게 낯선 이름이다. 그러나 이번에 묶어내는 한 권 분량의 작품으로 그는 이미 우리들에게 친숙해질 수 있게 되었다. 그의 시집을 읽어내려가는 동안 독자들은 그가 우선 하고 싶은 이야깃거리가 매우 많은 시인임을 느끼게 될 것이다. 그의 시편들을 담담한 기분으로 나직하게 입 안에서 웅얼거려 가노라면 이미 우리가 지난날에 만났거나 혹은 가까이서 흔히 만날 수 있는 스스럼없는 인물들과 맞닥뜨리게 된다. 즉 그의 시편들이 어떤 평면적인 인물들을 작품 속에 의미심장하게 떠올림으로써, 그의 시는 자연스럽게 담시적(譚詩的)인 분위기를 풍기게 된다. 그의 시를 읽을 때 가장 빈번한 가락으로 다가오는 네 마디 가락은 그의 흉중에 품은 이야깃거리들을 무리없이 풀어내는 일을 어느 정도 도와주고 있는 듯하다. 네 마디 가락이 담아낼 수 있는 장중하고도 유장한 토운이 그의 시적 소재들과 별반 어려움없이 어울린다. 그러나 그의 많은 이야기들이 그의 시작품들에서 자주 허전한 반향으로 되돌아오는 것은 무슨 까닭일까. 기존의 어떤 투식(套式)이나 방법의 틀 혹은 낡은 문체의 습관 같은 데서 놓여나기를 스스로 허락하지 않고 있는 것은 아닐까. 물론 그가 자신의 호흡과 개성의 독특함을 마련해가려는 노력형의 시인임을 인지하면서도 아직은 이러한 불안을 떨쳐버릴 수 없다.

필자는 그의 첫시집을 통독하고 나서 「울타리꽃」과 「이 나라 흰옷」을 읽은 감명을 잊지 못한다. 「울타리꽃」은 어머니가 아들에게 남기는 유서의 형식을 빌어서 강력한 부활에의 의지와 극복의 정신을 대대로 계승해가는 과정을 보여준다.

> 혹 떨어져 나간 내 뼈 있거든
> 밤마다 숫돌에 갈고 갈아 화살촉 만들고
> 흩어져 날리는 머리칼 있거들랑
> 빠짐없이 추려 모아 화살줄 매어다오.
>
> ——「울타리꽃」부분

　특히 이 대목은 심훈(沈熏)의 저항시 「그날이 오면」을 방불케 한다. 심훈의 시가 '나의 머리'로 종로의 인경을 울리고 '이몸의 가죽'을 벗겨 큰북을 만들어 치겠다고 하는 현세적 회열의 상상력이라면 도종환의 「울타리꽃」은 죽음에 다다른 어머니가 아들에게 자신의 뼈와 모발을 수습하여 화살촉과 화살줄을 만들어 써달라는 내세관적 기대에 충만한 상상력이다. 두 작품이 공히 격정적 환상 구조에 바탕하고 있지만, 현실 속의 부당함과 맞서 대결하고 이를 극복해나가려는 자세에 있어서는 후자가 전자보다 오히려 능동적이고 적극적인 바가 있다. 이러한 역동적 자질이야말로 시인으로서의 도종환에게 기대할 수 있는 최선의 가능성이자 무기가 된다.
　화살촉과 화살줄의 마련은 그의 또 다른 시 「이 나라의 흰옷」에서 제기되는 장소——"반드시 돌아가야 할 그곳"으로 돌아가기 위한 필연적 과정인 싸움에의 대비이다. "반드시 돌아가야 할 그곳"의 회복은 다음과 같은 굳건한 주체적 정서의 확보 없이는 불가능한 일이다.

> 눈녹이물에 마른 목 축이며
> 내리붓는 대륙의 칼바람 마시며
> 풀뿌리가 풀뿌리끼리 엉켜 안고

지맥 깊은 오만 리를 뻗어가는 곳
──「이 나라 흰옷」 부분

　참으로 아름다운 이 시의 한 대목을 읽으면서 얼핏 서글픈
느낌에 휩싸이는 것은 언젠가는 "반드시 돌아가야 할" 우리
들의 '그곳'이 지금 당장에 겪고 있는 비운과, 우리를 그곳
으로 돌아가지 못하게 하는 갖은 핍박의 안타까움 때문이리
라. 하지만 이 과정에서 흔히 독자들이 빠져들기 쉬운 센티
멘탈리즘을 시인은 배격한다. 민족사를 비극적 숙명론으로
파악해 들어갈 때 가장 위험한 것은 패배적 감상주의의 태도
이다. 30년대 한 시인의 시 「오랑캐꽃」에 깃든 애잔한 슬픔
의 정서("울어보렴 목 놓아 울어나 보렴 오랑캐꽃"류의 結句)도 비
극적 숙명론의 범주에서 벗어나지 못한 것이었다. 그 시인의
시는 비범한 소재를 갖고도 민족정신사의 서정적 계승 양식
으로 치받쳐오르지 못하고 비애의 양식 자체에 머물고 만 느
낌이 있다. 이 점에서 「이 나라 흰옷」은 일찌기 30년대 시인
에게서 절정을 보인 바 있었던 소극적 비애의 양식을 현실 극
복의 능동적 양식으로 끌어올린 꽤 독특한 수준의 작품이다.
앞서 「울타리꽃」에서도 본 바 있는 강인한 역사의식과 계승
의 의지가 다른 무엇보다도 시적 긴장을 유지시키는 커다란
힘이 되어주고 있음을 볼 수 있다.

　　죽기 전에 그 호호한 풀밭에 못 가더라도
　　엉덩이 두 쪽 푸른 반점 손주놈 태어나면
　　속옷 속에 배냇저고리 채워주며 두고두고 일러주거라
　　이 옷은 유목민의 옷이었다고.
──「이 나라 흰옷」 부분

필자의 사견(私見)에 불과하지만 도종환의 시는 긴 것보다
는 짧은 형태의 시가 좋다. 그의 시적 소재들을 풀어내기에
아직은 단시가 적절한 듯하고, 또 소품 중에서도 최근의 현
실을 묘사한 「진눈깨비」「분꽃」「규화」「냉해」류보다는 「이
나라 흰옷」「울타리꽃」「쇠비름」「바람개비새」「피리」등속
이 한결 깨끗하고 선명한 감동을 준다. 그 까닭이 무엇에 연
유하는 것인지 꼬집어 말하기는 어려우나, 아마도 「진눈깨
비」류가 근자의 민중시들에서 흔히 보이는 어떤 고정화된 틀
과 한계, 혹은 따분한 투식들을 또다시 떠올리게 하고 있다
는 점은 분명히 지적할 수 있겠다. 문학의 소집단적 활동은
매우 필요한 것이긴 하지만, 만약에 운동 양식과 그 지침들
이 정서의 개별성마저 거부하거나 혹은 문학성을 위축시키는
강박이 된다면 이는 크게 우려할 만한 일이다. 앞으로의 시
들은 커다란 민중사를 보다 넓고 보다 깊게 수렴할 수 있는
구조의 폭과 감동의 질을 독자적으로 마련해감으로써 현재의
한계를 극복할 수 있을 것이다.

　　이제 도종환의 긴 시들을 짚고 넘어갈 차례가 되었다. 연
작시나 장시에는 시인 특유의 역사의식과 감각의 양식이 충
분히 깃들어 있을 경우에만 그것의 성공 여부를 논할 수 있
겠다. 이 점 「죠센 테이신따이(朝鮮挺身隊)」보다는 「삼대(三
代)」쪽이 긴 시로서의 요건을 더 갖추고 있다. 평면적이고
상식적 진술에 그친 듯한 전자에 비해 후자는 시정신으로서
도 훨씬 치열하다. 「삼대」는 조부의 세대에서 작중화자인 나
의 세대에 이르기까지 악순환으로만 굴러온 한국현대사의 어
처구니없는 면모를 연대기(年代記)적인 수법으로 그려낸 9연
복합구성의 연작시 형태이다. 이 작품 속에서 시인은 삼대에
겹쳐서 겪는 상황 즉 식민지 상황, 분단 상황 그리고 분단

체제하에서의 정치적 혼란 상황 등이 결코 서로 다른 토막들이 아니라, 실은 외피(外皮)를 달리한 하나의 동일한 성격의 상황임을 알려준다. 무수한 지배 엘리트와 무단적 이데올로기 등의 가해자에 의해 줄곧 피해를 입어온 쪽은 무력한 민중들이었는바, 시인은 민중들이 겪은 피해를 '톱질'이란 한 마디 말로 강변한다.

> 연맹 연맹 무슨 연맹 알고 든 놈 뉘 있으며
> 무슨 단 무슨 회 들고자 든 놈 뉘 있겠냐.
> ──「三代」 중 '3. 톱질' 부분

그리하여 작품 「삼대」는 열악한 상황 속에서 선량한 민중들이 줄곧 당해온 '톱질'의 내력을 낱낱이 고발하는 민족수난사적 성격을 지닌다. 작중의 인물들은 자신들의 시대에서 매양 지치고 곤비한 삶을 살아가지만 그러나 그들은 당당한 유목민으로서의 관습을 잊지 않고, 또한 그들 스스로가 "구석지고 그늘진 울의 뒤꼍에서도/햇살과 하늘 떳떳이 껴안고 선 익모초"(「三代」 중 '9. 익모초' 부분)의 강인함을 줄기차게 유지해 간다. 「삼대」 중에서도 가장 돋보이는 부분은 역시 '8. 사격명령'이다. 작중의 화자는 아마도 1980년대의 5월 어느 날 어느 도시 근교에서 투입을 대기하는 한 사람의 사병이었던 것 같다. 먹칠된 역사의 한 부분처럼 캄캄한 밤, 그는 매복조에 편성되어 참호 속에 엎드리고 있는 동안 이미 명분을 상실한 전투대기에 깊은 심리적 충격과 갈등을 경험한다. 그러한 고뇌의 막다른 끝에서 그가 최후로 할 수 있는 것이란 자기가 들고 있는 소총의 실탄을 거꾸로 장전하는 행위였고, 그것이야말로 민족적 양심을 배반하지 않는 길임을 깨닫는다. 이 길을 선택하는 순간, 자신이 가장 처절한 비극의 중심에 놓여 있음을 알게 되고 그는 비로소 망이(亡伊)·망소이(亡所伊)의 역사성과 또한 정중부(鄭仲夫)의 칼이 지니는 몰역사성을 체득하게 된다. 이 지점에서 시인은 이미 평범한 관찰자의 시점(視點)을 벗어나 자기 시대의 역사를 가장 진지하게 증언하는 경험적 존재자가 되고 있다. 그러므로 그의 첫시집에서 이 한 편의 시가 지니는 비중은 매우 크다 할 것이다.

사격명령이 떨어지던 날
탄창 속의 $M_{16}A_1$ 신형 탄알처럼
징발된 민간차량에 가즈런히 탑승되어
비포장도로를 달려갔다.
(…………)
개인호를 파고 들어앉은 우리 앞에
인도지나의 풍문으로 듣던 안개가
호남평야를 기어오고
바리케이트 뒤에서 몰래 탄창 제일번 실탄을
거꾸로 장전하는 짧은 순간
가장 깊은 밤의 이슬이
어깨를 밀고 들어왔다.
그 밤 터무니없는 죽음의 가도에서
고려중기의 젊은 농군을 만나고
亡伊와 亡所伊를 만나고
鄭仲夫의 다듬어진 칼과 普賢院의 차디찬
화강암에 이마를 부딪고 쓰러진
그 흔한 죽음의 기록도 없는 한 야사의
문신들을 만났다.
십칠번 국도 위에서 역사를 우롱하던 바람은

한 찰나도 빼놓지 않고 피묻은
뻐꾹새 울음을 귓가에 실어오고
(…………)
이제 나의 개인화기는 발화하지
않을 것이다.

  대체로 도종환의 시적 지향은 '칼' '유목민' '울타리' '익
모초' '쇠비름' 등의 이미지 군(群)으로 파악될 수 있을 듯
하다. 이러한 이미지들이 지니는 구체성은 거개가 민중들에
의한 건강한 역사상의 정립과 건설 쪽으로 따뜻하게 이어지
는 것임은 더 말할 나위가 없다. 그의 시집에서 위의 이미지
들과 대립적 위치에 놓여 있는 것은 '바람' 이미지들에 내포
된 비인간적인 폭력성이다. 그의 시의 한 구절처럼 "역사를
우롱하는 바람"은 언제 어느 때나 드디어 잠잠해질 것인가.
하지만 그것이 일조일석에 이루어지지 않는다는 것을 우리는
알고 있다. 육신이 바스러져서 마침내 썩은 살이 거름이 될
지라도 구준하게 다시 태어나는 '쇠비름'의 정신처럼 무수한
거듭남의 반복 속에서만 역사를 우롱하는 바람을 잠재울 수
있을 것이다. 오늘도 해는 다시 뜬다.
  도종환은 이제 시작하는 시인이다. 부디 무수한 거듭남을
되풀이해서 자기 시대의 자기 몫을 성실히 수행해가는 시인
이 되기를 바라마지 않는다.

後　　記

　나는 민중이니 민족이니 역사니 하는 것을 먼 곳에서 찾지 않는다.

　식민지 시절에 앗기우며 한 세월을 보낸 할아버지, 태평양 전쟁 말기 남양군도에 징병으로 끌려가 돌아가신 큰아버지, 그 큰아버지와도 싸웠을 군대에 배속되어 분단의 전쟁을 치른 아버지, 소금장수, 이발쟁이, 날품팔이, 농사군 형제들, 언청이, 못난이 누이들, 분단시대를 살아가는 우리 모두와 내 이웃의 삶 속에는 생생한 역사와 삶의 아리고 한스러운 혼적들이 흉터처럼 박히어 있기 때문이다.

　역사와 민중은 내 가까운 피붙이와 내 자신 속에서 늘 꿈틀거리고 있다. 이 모든 동시대인들의 삶에 몇 발짝 비켜서서 자학하고 탄식하며 오만함 속에 또는 신비한 체험 속에만 빠져서 반성문 같은 시, 변명 같은 시만 쓰고 있을 수는 없었다.

　시는 삶 속에, 이 땅 위에 튼튼히 뿌리를 박는 서정과 용기이어야 하리라 믿는다.

　분단시대 약소민족의 아들로 태어나 '우리가 부끄러워해야 할 것' '우리가 분노해야 할 것' '우리가 외면하지 말아야 할 것'들 속에 서서 튼튼한 시를 쓰고 싶었다.

　언제나 써온 글보다 써야 할 글이 더욱 많으리란 생각으로 시를 쓴다.

　첫시집을 엮어주신 창작과비평사 여러분들께 깊은 감사의 말씀 올리며 누를 끼치지 않는 삶을 살아야겠다고 다짐한다.

1985년 3월

도　　종　　환

창비시선 48

고두미 마을에서

초판 1쇄 발행／1985년 3월 20일
초판 10쇄 발행／2012년 7월 25일

지은이／도종환
펴낸이／강일우
펴낸곳／(주)창비
등록／1986년 8월 5일 제85호
주소／413-120 경기도 파주시 회동길 184
전화／031-955-3333
팩시밀리／영업 031-955-3399 · 편집 031-955-3400
홈페이지／www.changbi.com
전자우편／literat@changbi.com